ISBN : 978-2-0812-2219-9 – ISSN : 1957-8407

marlaguette

récit de Marie Colmont

images de Gerda

Père Castor ■ Flammarion

Elle s'appelait Marie-Olga,
mais on disait Marlaguette
pour faire plus court
et aussi plus gentil.

Un jour qu'elle était allée
cueillir des champignons
dans les bois,
une grosse bête sauta sur elle
et l'emporta pour la manger.

Une grosse bête grise,
avec des oreilles pointues,
une gueule rouge : bref, un loup.

Elle se débattait, Marlaguette, dans la gueule du loup,
et le loup qui courait toujours en était tout gêné.

Si bien qu'en arrivant
à sa caverne,
il se cogna le front
à la roche
qui en faisait le toit.

– Hou là! hou! cria-t-il
en tombant de côté.

Marlaguette tomba aussi,
mais elle se releva vite.

— Bien fait! Bien fait! cria-t-elle
en faisant la nique au loup.

Mais le loup ne bougeait plus.
Il avait l'air bien malade,
avec une grosse bosse au front,
une écorchure
et un petit peu de sang qui en coulait.
Maintenant, Marlaguette le regardait
et sa colère tombait.

— Pauvre petit loup! dit-elle. Il est bien blessé!

Alors elle tira son mouchoir,
alla le tremper dans la source qui chantait tout près
et fit un beau pansement sur la tête du loup.

Puis elle ramassa des feuilles et des mousses,
et sur ce petit matelas doux
roula le grand corps.

Même elle planta une large feuille de fougère
tout auprès pour lui servir de parasol.
Comme elle faisait cela, le loup revint à lui.
Il entr'ouvrit un œil, puis le referma.
Il se garda bien de bouger,
d'abord parce qu'il avait grand mal à la tête,

et puis parce que c'était tout nouveau pour lui
d'être dorloté, et, ma foi, pas désagréable.
Marlaguette s'en alla sur la pointe des pieds
et courut chez elle;
elle n'habitait pas loin de là
dans une petite cabane à la lisière des bois.

Elle fit un grand pot de tisane
et revint le porter au loup,
avec une petite tasse
pour le faire boire.

Ce ne fut pas commode.
Les grandes dents du loup
cognaient contre la tasse,
et sa grande langue laissait
échapper la moitié du liquide.
Pour tout dire aussi,
il n'aimait pas la tisane.
Lui qui se régalait de viande crue,
avec du bon jus saignant
qui ruisselle le long des babines,
cette camomille l'écœurait.

— Bouh! que c'est fade! geignait-il en lui-même.
Mais Marlaguette disait :

— Allons, bois, vilain loup,
d'une voix si douce qu'il n'y avait qu'à obéir.

Elle le soigna comme ça pendant huit jours.
Puis elle l'emmena faire une petite promenade,
en marchant tout doucement pour ne pas le fatiguer.

– Cra ! Cra ! cria le Geai
en sautillant devant eux.
Il te croquera, Marlaguette.

– Ah ! tu crois ça ? dit le loup. Attrape !

Et il se lança en avant
pour croquer le Geai,
mais il était tout faible encore
et manqua son coup.

Le deuxième jour,
comme il se promenait, bien sage
à côté de la petite fille, le Geai revint :
– Cra ! Cra ! Marlaguette, il te croquera !
– Menteur ! cria le loup.

Et pour le punir il se lança en avant
et cette fois il croqua le Geai.
Qui fut bien furieuse? Marlaguette.
Elle donna au loup une sérieuse fessée
et ne lui parla plus de toute la promenade,

et quand ce fut l'heure de rentrer chez elle,
elle ne lui serra pas la patte.
– Je ne le ferai plus,
dit le loup en reniflant, le cœur gros.
Il avait l'air si repentant qu'elle lui pardonna.

De fait, à partir de ce jour,
il ne mangea plus une seule bête vivante.
Dans la forêt, cela se sut vite.
Les oiseaux ne s'envolèrent plus
quand il passait sur les chemins;

et les petites souris vinrent caracoler jusque sous son nez.
Il en avait l'eau à la bouche,
mais il trottait sagement à côté de Marlaguette,
les yeux fixés sur son doux petit visage,
pour échapper à la tentation.

Mais alors, qu'est-ce qu'il mangeait?
Des framboises, des myrtilles,
des champignons, des herbes,
du pain que lui portait Marlaguette...
Hélas! à ce régime il s'anémia.

Un loup n'est pas végétarien;
il faut qu'il mange de la viande,
son estomac est fait pour ça.
Ce fut un vieux bûcheron qui le dit à Marlaguette :
– Il est en train de mourir, ton ami le loup...

Marlaguette pleura beaucoup,
et puis elle réfléchit
toute une nuit,
et puis au matin
elle dit au loup :

– Je te délie de ta promesse.
Va vivre au fond des bois
comme vivent tous les loups.

Alors la grande bête grise s'en fut sur ses pattes maigres
et elle croqua

un merle,

et un lapereau,

et trois musaraignes
qui prenaient le frais
au bord de leur trou.

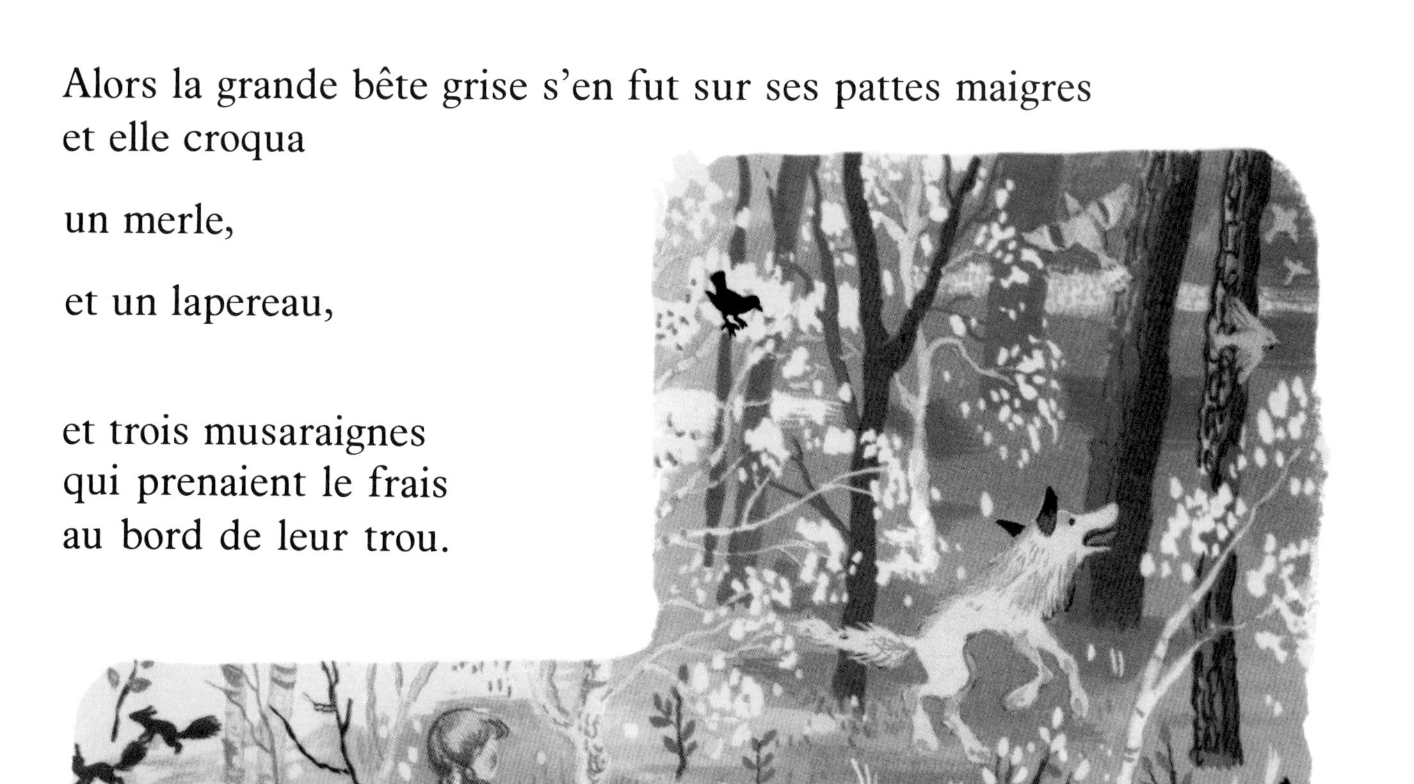

En peu de temps,
le loup redevint
fort et beau.
Mais il ne tuait
maintenant que
lorsqu'il avait faim
et jamais plus
il ne mangea
de petit enfant.
Parfois, de loin,
entre les branches,
il voyait passer
la robe claire
de Marlaguette
et cela lui faisait à la fois plaisir et tristesse.

Et Marlaguette regardait souvent vers le fond des bois,
avec son doux sourire,
songeant à cette grande bête de loup
qui, pour l'amour d'elle,
avait accepté pendant des jours de mourir de faim...

Imprimé en juillet 2010 à Singapour par Tien Wah Press
Dépôt légal : septembre 2009
Éditions Flammarion (n° L.01EJDN000326.C002)
87, quai Panhard et Levassor – 75647 Paris Cedex 13
www.editions.flammarion.com
Loi n° 49-956 du 16 juillet 1949 sur les publications destinées à la jeunesse